일분몽구 (원본)

해공 신익희 찬서

一分蒙求 (原本)

海公 申翼熙 撰書

청년 해공 신익희(海公 申翼熙)

『일분몽구』를 쓴 시기와 가장 근접한
1919년 상해임시정부수립 때의 모습

차례

『일분몽구(一分蒙求)』 해제

이 희귀한 『일분몽구』는 해공(海公) 신익희(申翼熙 1894~1956)에 대한 연구뿐 아니라 우리나라 몽학서(蒙學書)의 일면을 살펴보는 데도 지극히 귀중한 자료이다.

해공이 와세다대학(早稻田大學)을 졸업하고 귀국하여 보성법률상업학교(普成法律商業學校 : 高麗大學校 前身) 교수로 재직하던 중 마침 종손(從孫), 즉 해공의 백형 신규희(申揆熙)의 손자 창현(昌鉉)의 첫돌(丁巳 至月 1917년 동짓달)을 맞아 이 책을 그 돌상에 올려놓았던 것이다.

당시 해공은 23살이었는데 약관을 겨우 넘긴 나이에 이처럼 완벽에 가깝게 4자 360구 1,440자를 중복된 글자 없이 몽훈서(蒙訓書)로 창작했다는 것도 놀라울뿐더러 내용 또한 풍부하면서 어린아이 동몽(童蒙)에게 핍절한 것들로 구성하였다는 것은 아무리 한학에 뛰어난 식견이 있었다 해도 거의 불가능에 가까운 일이라 아니할 수 없다.

이 책은 그동안 실물을 알 수 없었는데 창현가(昌鉉家)에서 백 년이 넘도록 소중히 간직해 오다가 금년(辛丑 2021) 봄에 종실의 어른이신 학영(學泳)께서 「해공신익희선생기념사업회」에 기증하였고, 이를 서둘러 복제본 110부 한정판을 발간함으로써 세상의 빛을 보게 되었다.

누구나 다 아는 독립운동 지도자요 대한민국 건국 원훈이며 정치가, 교육가, 민족지도자인 해공은 1894(甲午)년 6월 9일(양력 7월 11일) 경기도 광주(廣州) 유수부(留守府) 초월면(草月面) 서하리(西霞里)에서 구한말 장례원경(掌禮院卿)을 지낸 신단(申檀)과 그 부인 동래정씨(東萊鄭氏) 정경랑(鄭敬娘) 사이에서 여섯 형제 중 막내로 태어났다. 즉 고려 개국공신 장절공(壯節公) 신숭겸(申崇謙)의 평산신씨(平山申氏) 31세손이다. 자는 여구(如耉)이며 호는 해공(海公) 혹은 해후(海侯)로 불렸다. 이복형 규희(揆熙)와 필희(弼熙) 두 분과는 터울이 상당히 있었다. 해공은 다섯 살 때부터 백형 규희에게 한학을 수학하여 가학의 훈도(薰陶)에 물씬 젖었는데 집안의 학맥은 양지(良知)와 지행합일(知行合一)을 기치로 내세운 양명학(陽明學)이었으며 바로 당시 강화학파(江華學派)의 정통이었다. 즉 그의 고조부 완구(宛丘) 신대우(申大羽 1735~1809)는 당시 양명학의 거두 하곡(霞谷) 정제두(鄭齊斗 1649~1736)의 손녀사위로 강화 하곡리(霞谷里)에서 처가살이를 하면서 그 학문을 닦았는데, 그의 놀라운 지식과 김생체(金生體)의 명필로 명성이 높았다. 마침내 조정(朝廷)이 그를 음서(蔭敍)로 등용하여 세자의 스승으로 삼았다. 그가 호조참판을 거쳐 은퇴를 하자 조정에서는 그에게 광주

서하리 일대의 토지를 하사하였고, 그는 강화도에 살고 있는 가족들을 이끌고 이곳으로 이주하여 신씨 망족(望族)의 터를 잡아 양명학을 가학으로 전수하였다. 대우의 막내아들, 즉 해공의 증조부 실재(實齋) 신현(申絢 1764~1827)은 문과에 급제하여 지중추부사(知中樞府事)에 오른 분인데 그가 강원감사로 있을 때 강원도에서 목재를 날라 와 이곳에 20칸짜리 집을 지었고 더불어 가세를 키웠다. 이 집이 바로 나중에 해공이 생장한 본가이다.

해공은 여기서 백형으로부터 익힌 한학에 능통하여 경사자집(經史子集)은 물론 우리나라의 역사와 사상을 깊이 섭렵하여 이미 신동으로 일컬어졌다. 그러나 시대 변천에 실천적 무실(務實)에 선견을 보인 집안에서 1908년 관립 한성외국어학교(漢城外國語學校) 영어과로 보내어 이를 마치고, 다시 1912년 일본 유학길에 올라 일본에서 세이소쿠(正則) 영어학교까지 졸업한 뒤 와세다대학 정치경제학부에 입학하게 된다. 이때 해공은 송진우(宋鎭禹 1890~1945), 문일평(文一平 1888~1936), 안재홍(安在鴻 1891~1965) 등과 의기투합하여 민족정신과 독립사상 고취에 온 힘을 쏟기 시작하였으며, 1913년 여름 방학을 맞아 일시 귀국하고서도 두 형과 함께 광동강숙(廣東講塾)을 열어 총독부가 금서로 정한 『유년필독(幼年必讀)』을 교재로 하여 가르치는 등 항일 독립정신의 싹을 틔워 나갔다.

그리고 와세다대학을 졸업한 뒤 귀국하여 1917년 잠시 중동학교(中東學校) 교유를 거쳐 보성법률상업학교 교수로 부임하여 비교정부론, 만국공법, 재정학 등을 가르쳤다. 이즈음 이 『일분몽구』를 지어 종손의 초도연(初度宴 : 돌잔치)에 그 깊은 의미를 더했던 것이다.

한편 『몽구(蒙求)』란 일찍이 중국 당나라 때 이한(李瀚)이 짓고 송대 서자광(徐

子光)이 주를 달아 널리 알려진 동몽서이다. 4자 2구씩 묶어 298구문, 총 2,384자로 중국에서 대성황을 이루어 그 뒤 문사철(文史哲) 등 각 분야에 아류가 쏟아져 나왔으며, 우리나라를 거쳐 일본으로도 건너갔고, 미암(眉庵) 유희춘(柳希春 1513~1577)은 『속몽구(續蒙求)』를 짓는 등 비교적 큰 영향을 끼친 교재이다.

그런데 해공의 이 『일분몽구』는 이를 모방하여 지은 것이 아니며 독창적으로 저작(著作)한 것이 거의 확실해 보인다. 즉 중국 이한의 『몽구』는 어린아이에게 도움이 될 중국 역대 역사 고사를 압축하여 4자로 제목을 삼은 것이며 그 주문(注文)이 고사 내용의 많은 양을 차지하고 있어 그 때문에 분량이 방대하다.

이에 비해 해공의 『일분몽구』는 형식은 도리어 주흥사(周興嗣)의 『천자문(千字文)』에 가깝고 내용도 천지(天地)의 시판(始判)으로 시작하여 고사보다는 동몽의 눈높이에 맞춘 핍절한 내용들로 구성되어 있다。 따라서 『일분몽구』는 원의(原義) 그대로 『주역(周易)』 몽괘(蒙卦)의 「蒙、亨。匪我求童蒙、童蒙求我(내가 동몽에게 요구하는 것이 아니라、어린아이가 나에게 배움거리를 달라고 요구하다)」에서 제목을 취한 것이다。

다음으로 「일분(一分)」이란 해공이 서문에서 「其字數恰與一日一千四百四十分相符(그 글자 수는 하루 1、440분과 딱 맞다)」라 하여 전체를 하루 24시×60분=1、440분의 숫자에 맞추었음을 밝힌바、시간을 아끼도록 상징적인 의미를 부여한 것이다。 그런데 이는 4자씩 한 구를 이루어 1、440자÷4자=360구가 되어 총 구의 수가 1년의 일수에 접근하여 하루 4자씩이면 한 해에 모두 마칠 수 있음을 신묘하게 맞춘 것임을 알 수 있다。

특히 『천자문』의 형식을 띠고 있으나 저 양(梁)나라 주흥사가 하룻밤에 1천자를 중복 없이 운(韻)에 맞게 문장으로 구성하느라 너무 골몰하여 이튿날 아침에 보니 머리가 하얗게 세었더라 하여 『백수천자문(白首千字文)』이란 설화까지 낳았으나 결국 「潔(결)」 자가 중복되고 말았는데, 이 『일분몽구』도 아깝게도 「鼓(고)」 자가 겹치고 말았으니 서로의 그 기묘함은 가히 전설이 될 수 있을 것이다. 나아가 그저 한자를 늘어놓은 것이 아니라 『천자문』 못지않게 문장으로 구성하였으니, 그 해박한 한학과 폭넓은 안목에 놀라움을 금할 수 없다.

서체는 서문은 초서이지만 본문은 아주 단아한 해서(楷書) 안진경(顏眞卿)체로 안체보다 약간 가늘면서 정미(整美)한 대자(大字)로서 아이들의 습자 체본(體本)으로 쓰기는 물론 서체 감상용으로도 예술의 경지에 올라 있다. 인쇄가 아닌 자필(自筆) 유일본(唯一本)이므로 해공의 묵취(墨臭)를 그대로 느낄 수 있는 아주 귀중한 자료이다.

내용은 「천지초개(天地初開)」로 시작하여 우주 만물의 존재, 시공간에 펼쳐진 조수초목(鳥獸草木)의 물명(物名), 사물의 원리를 거쳐, 인륜과 사회 공동체, 산업과 일상생활에 필요한 기명(器名), 동양 학통의 흐름, 중국과 한국의 역사에 대한 간략한 내력을 기술하고 있다. 아울러 촌음을 아껴 써서 면학에 매진할 것을 간곡히 부탁한 것은 보편적 몽학서의 가치를 놓치지 않은 것으로 평가된다. 그리고 끝에 「丁巳至月書贈昌鉉初度(정사 1917년 동짓달 창현의 첫돌에 써서 기증하다)」라 기록하여 저술 날짜와 동기를 밝히고 있다.

해공이 남긴 많은 글씨 및 한시 등을 살펴보건대 해공은 독립운동가이며 건국의 원훈, 민주 정치가, 교육가, 국민대학 설립자 등으로 알려진 것 못지않게 근세 대한학자(大漢學者)요 높은 경지의 서예가였음을 재삼 확인하게 된다. 더욱이 23세에 『일분몽구』와 같은 문장과 글씨를 구현해 낸다는 것은 평생 한학에 매달려 온 학자라 할지라도 쉽게 해낼 수 없는 것이기에, 『일본몽구』를 역주(譯註)하면서 해공이라는 인물의 깊이와 크기를 다시 깨달으며 숙연한 마음을 금할 수 없다.

다음 페이지부터는 해공이 자필(自筆)로 쓴 원본(原本) 그대로의 면면(面面)을 약간 축소하여 영인한 것이다. 한 글자도 훼손됨이 없이 일백 년 이상 숨어 있던 이 책이 이제 비로소 진면목을 드러내었으니, 그 가르침이 널리 전파되기를 바란다.

신축년(辛丑年 2021) 입동(立冬)에

줄포(茁浦) 임동석(林東錫)이

삼가 서(敍)하다

一分蒙求

一千四百四十字

一分精求亡為訓無毫不假是也精
求之能不自得矣於之以一分安之
哉不一分助精求云爾直
是自道也其字數恰與一子四不
四分知存漢先不必不知先是不情
取分窗了也

丁巳正月 安淳書

天地初開
陰陽乃判
上清垂象
包外圓旋

下濁成質
居內丸積
日月星辰
水火土石

形器既具
理宰氣行
剛柔健順
元亨利貞

一源太極
渾真寂玄
自能動靜
來機屈伸

兩儀斯立
生克維五
經緯錯綜
神妙精聚

覆載交感
變化遂通
運數有常
循環無窮

春夏秋冬
歲時推遞
東西南北
方位向背

晝夜晨夕
長短昏明
晦朔旬望
進退虧盈

風鼓雷震
雲興雨施
露滋霜肅
雪封冰閉

寒暑温凉
燥濕融凝
泉澗溪澤
巖壑原陵

峯高川流
山鎮海涵
界區廣遠
墳壤厚深

于以造物
萬品育焉
蕃殖林總
賦予洪勻

凡係血屬貌像聲色蠢謂之蟲根著曰植

鳥獸與魚
亦暨卉木
羽毛鱗甲
尾蹄齒角

飛鳴走躍

潜伏巢穴

芽坼莖抽

花香葉密

枝暢實熟
叢鬱蔓延
彼皆偏塞
顧奚足論

就中最貴
稟秀而全
拔羣超類
頂乾趾坤

參並三才
厥號爲人
戴規履矩
股肱翼宣

頭面發揮
耳目口鼻
胷腹藏蓄
肝腎腸胃

骨肉皮髮
筋脈魂魄
非徒爾也
當然是則

性兮本善
仁義禮智
樞紐該括
體隱用費

大哉惟心
管領操制
虛靈知覺
情欲志意

喜怒哀懼

愛惡讓辨

鑑空畢照

端徵卒顯

視聽言笑
舉止語默
坐卧步趨
寤寐瞬息

莊恭簡舒
帥令遵守
若身所接
先事父母

兄弟夫婦
師友君臣
孝悌忠信
敦敘彝倫

前後祖孫
左右族戚
由親逮疏
寧或離隔

子姓嗣支

伯仲等輩

姊妹叔姪

童幼耆艾

舅甥姑姨

妻妾奴婢

賓客朋僚

故舊隣里

分別男女
次序尊卑
慈惠睦恤
觸處罔違

侍奉供養
臨撫慰侍
拜揖升降
灑掃應對

飲食衣服
冠婚喪祭
迎送出入
候謁贈寄

饗獻問遺
辭受報謝
死患弔救
榮慶燕賀

役勞調給

輕重薄豐

莅官務職

怠已徇公

使民汎恕
御煩要詳
科級委曲
措置恢張

間又勤業
博約相依
讀書涉史
玩易詠詩

藝六齊七
餘暇詞翰
甘苦憂樂
毀譽恩怨

壽夭貧富
吉凶災祥
修吾竭力
效付諸蒼

釐整彙產
因勢篤材
財輔損益
百度需資

田穀菽麥
黍稷稻粱
圃菜芹菁
匏瓜蔥薑

園核桃李
棗柹梨橘
閨績蠶絲
桑麻紵葛

家畜馬牛
雞狗羊猪
便好切急
耕織牲輸

麟鳳龜龍
特云奇瑞
芳英芝蘭
荷菊梅桂

鸛雁鷗鷺

烏鵲鷹雉

鸞雀蜂蝶

蟬螢蛇蟻

虎鹿熊猿
猫鼠狐兎
鼈蛤蟹魴
鱸鰍鯉鮒

松竹桐柏
槐杏柳漆
棘櫟蒲蘆
蘇蕭藻蕨

寶貝珠玉
銀錫銅鐵
閒散紛雜
漁獵採伐

圭組袞冕
宮殿廷省
耒鋤杼柚
溝畝鄉井

刀鋸斧鑿
梓匠陶冶
市路橋津
舟車遷寫

布帛引丈
米粟量斗
錢幣斤鎰
麤賤把貿

飯羹酒肴
綺素錦繡
和味薦羞
樽俎籩豆

表裏綵飾
簪佩巾裳
寢廟屋宅
門庭階堂

房户窗壁
簾帷屏扇
枕籠牀席
杖屨几案

編策琴瑟
紙墨筆硯
杯盤鍾鼎
杵臼針線

弓劒鞍輪

釣網射馳

醫藥愈疾

卜筭决疑

律呂協音
簫磬歌舞
兵革去害
干戈旗鼓

臺池煙霞
樓觀遊登
每須節儉
巨細稱停

彌綸配贊
德卲功達
膏溢光被
來裔頌述

福祿膺昌
保佑休申
孰盡此道
蓋古聖賢

堯舜啓統
授禹及湯
歷文武周
至孔甚彰

淵浩濯暴
卓乎儒宗
顏曾薰炙
思孟衛崇

榛蕪千年
濂翁尋蹤
洛關秉燭
考亭誕終

潮呑的貫
梳洗集完
靑丘栗谷
其殆適傳

學術伊何
必主誠敬
格致洞豁
直踐平正

審慎勇敏
廉謹謙戒
改過矯病
庸權弘毅

連續充輝
久卽純如
豈容安排
十轍同塗

噫衆愚惑
任他拘蔽
牽陷私邪
怠慢驕恣

侈淫欺詐
貪忿殺傷
盜奪敵讎
戰爭亂亡

肆俾聰睿
后乂傳訓
京都郡邑
城闕寺院

卿侯尹將

旁求豪俊

郎吏軍隸

府庫營陳

黎首億兆
士農工賈
躬範政紀
誘導扶樹

刑憲昭示
賞罰攝東
臭驅夷狄
妖禁巫祝

老佛仙禪
異種斥絶
勸懲畏慕
會歸晏謐

盛衰隨治
往跡且徵
俯仰宇宙
邈矣莫憑

江淮河漢
泰華衡恒
九州褊隅
近從結繩

於皇創法
爰闢草昧
羲畫字卦
炎軒繼備

少昊顓嚳
二帝巍煥
姒除懷襄
再奠赤縣

商紹契緒
征罪反淳
姬綿棄祚
岐鎬命新

典章咸美
永世作程
王綱傾墜
列霸縱橫

秦狂劉起
帶礪盟定
吳魏僭僞
晉室不競

腥塵漲霄
黃圖幅裂
四閨醉夢
翻手得失

隋并唐取
可惜多累
季代逆旅
顛倒壞敗

宋龔未振
奎影在野
金難已烈
蒙更穢社

朱氏奮呼
霽景稍嚴
庶幾悔禍
胡復陸沈

臯夔摯說
旦奭尚亮
良弼際遇
展抱偉壯

昔者朝鮮
檀始建國
箕設八條
幸破荒僻

滿遍韓詩
轉尤碎零
尺寸似戲
句濟差勝

羅彊末合
麗承俗陋
猗歟我邦
名教隆茂

率普胥溺
碩果獨存
宜各惕勉
倍加自堅

今抄見聞
冀甚早識
嗟汝小兒
誦習毋斁

丁巳至月書贈昌鉉初度

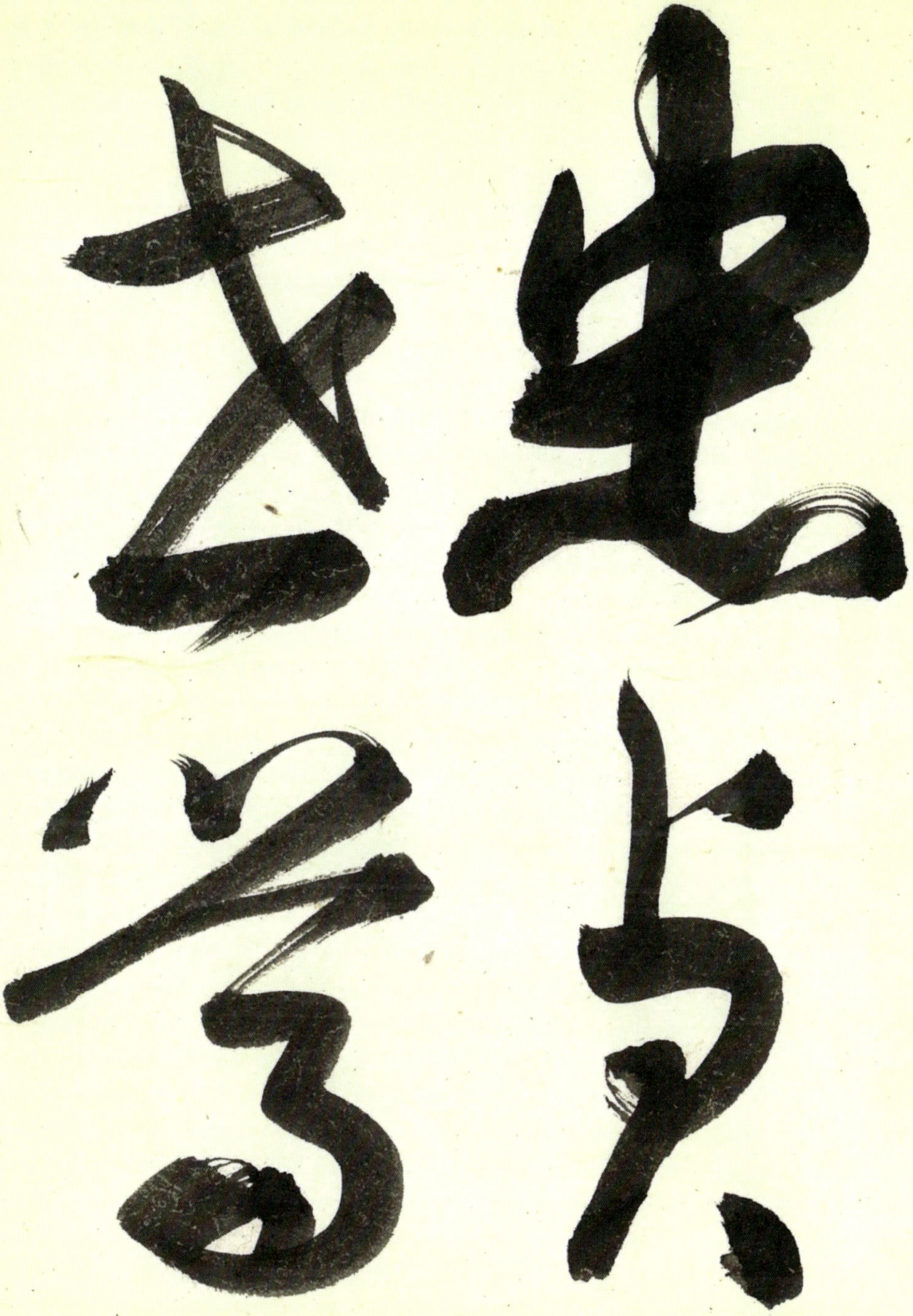

해공 신익희 연보(海公 申翼熙 年譜)

해공 신익희 연보(海公 申翼熙 年譜)

1894년 7월 11일 (음력 6월 9일) 경기도 광주군 초월면 서하리(京畿道 廣州郡 草月面 西霞里) 사마루에서 장례원 경(掌禮院卿)을 지낸 부(父) 평산신씨(平山申氏) 단(檀)과 모(母) 동래정씨(東萊鄭氏) 경랑(敬娘) 사이에서 6남 1녀의 막내로 태어나다。

1898~1907년 만형 규희(揆熙)의 가르침을 받아 한학(漢學)을 공부하다。

1908년 5월 관립 한성외국어학교 영어과에 입학하다。

1912년~ 일본에 유학하여、 와세다대학(早稻田大學) 정치경제학부에 입학하다。 재학 중 「조선 유학생 학우회」와 기관지 『학지광(學之光)』의 임원으로 활동하며 조국 독립을 위해 목숨을 바칠 것을 동지들과 맹세하다。

1913년 생가 사랑채에 광동강숙(廣東講塾)을 개설하여 인근 청년들을 가르치다。

1916년 와세다대학을 졸업하다。

1917년 중동학교(中東學校)에 교유로 부임하다。

보성법률상업학교(普成法律商業學校) 정교수로 부임하여 비교정부론, 만국공법, 재정학을 가르치다.

종손 창현(昌鉉: 만형 揆熙의 손자)의 첫돌 선물로 『일분몽구 1440자(一分蒙求一千四百四十字)』를 친필로 저작하다.

1918년 11월 최린(崔麟), 윤홍섭(尹弘燮), 최남선(崔南善) 등과 독립운동 시위를 모의하고, 이를 재중(在中) 독립운동가들과 협의하기 위해 중국을 순방하다.

1919년 3월 2일 귀국, 5일 남대문역 일대에서 제2차 3·1운동 만세시위를 벌이다.

14일 상해로 망명길을 떠나 19일 도착하다.

4월 10일 임시정부 수립을 위해 구성된 임시의정원의 제1차 회의에서 경기도를 대표하여 의원으로 선출되다.

임시헌장 3인 기초위원 중 한 사람으로 선임되어 국호(國號)를 「대한민국」으로, 국체(國體)를 민주공화국으로 하는 10개조의 「대한민국 임시헌장」을 기초하다.

4월 11일 대한민국 임시정부 수립을 선포하다。

제1차 내각에서 내무차장으로 취임하다。(내무총장 안창호)

7월 임시의정원 법제분과위원장에 취임하여 전문 및 총8장 57개조로 구성된 제1차 「임시헌법 개정안」(사실상 임시헌법 제정안)을 단독으로 기초하다。

9월 11일 「대한민국 임시헌법」을 공포하다。 전문 및 총8장 58개조(원안에서 1개조가 늘어남)로 구성된 「대한민국 임시헌법」은 아시아 최초의 자유민주주의 헌법이다。

1920년 11월 대한민국 임시정부의 외무총장(박용만 후임)에 취임하다。

1923년 가을 중국과 연대한 무장독립투쟁을 모색、중국국민혁명군 제2군 독군(督軍) 호경익(胡景翼) 대장을 개봉(開封)으로 찾아가 호(胡)의 고문이 되어 중국군 육군 중장으로 피임、한중 합작 유격부대인 분용대(奮勇隊)를 설립하다。 이때부터 왕해공(王海公)이라는 중국식 가명을 사용하다。

1924년 봄 자당 정경량 여사(57세)와 아들 하균(河均 6세)、 부인 이승희(李承姬 31세)

와 딸 정완(貞婉 8세) 등 가족을 차례로 중국으로 불러들이다。

1927년 4월 장개석(蔣介石)의 남경 정부 심계원 우우임(于右任) 원장의 도움으로 심계원의 감찰위원이 되다。

1929년 5월 남경에서 윤기섭(尹琦燮)、성주식(成周寔)、최용덕(崔用德) 등과 한국혁명당을 창당하다。 한국혁명당은 이념을 초월하여 혁명(독립투쟁)에 전념하는 단일대당(單一大黨)의 결성을 지향하고、산하에 무력투쟁기구로 철혈단을 두다。

1934년 3월 한국혁명당과 한국독립당(지청천)을 통합、신한독립당(윤기섭)을 창당하다。

1935년 7월 신한독립당(윤기섭)、의열단(김원봉)、조선혁명당(최동오)、한국독립당(조소앙)、대한독립당(김규식)을 통합、남경에서 민족혁명당을 창당하다。 이사장에 김규식(金奎植)、총서기에 김원봉(金元鳳)을 선임하다。 해공은 최창익(崔昌益)과 당내에 조선청년전시복무단을 조직하고 이들을 훈련하다。

1938년 4월 남경이 함락된 후 한구(漢口)에서 조선청년전시복무단을 근간으로 하여 조선청년전위동맹을 결성하다。

1938년 10월 10일 민족혁명당의 대일(對日) 무장투쟁 부대로서 조선의용대를 창설하다. 조선청년전위동맹도 이에 합류하다.
딸 정완(貞婉)을 의용대원인 김재호(金在浩)와 결혼시키다. 딸 역시 조선의용대에 입대하여 전선으로 나가다.

1939~1941년 조선의용대의 지도위원을 자임하여 대원들과 더불어 중일전쟁에 참가, 양자강과 황하를 일곱 차례 이상 넘나들며 적전(敵前)과 적후(敵後)에서 선무 및 정찰 활동을 지휘하고 긴급 시에는 실전에도 종사하다.

1941년 5월 조선의용대의 대부분이 공산당의 공작으로 북상(北上)할 때 딸과 사위를 탈출시켜 광복군이 주둔한 서안(西安)으로 보내고, 자신은 중경(重慶)의 임시정부로 복귀하다.

1942년 10월 제34차 임시의정원 회의에서 딸 신정완과 사위 김재호 부부가 나란히 의원으로 선출되다.

1944년 5월 8일 제5차 헌법 개정으로 성립된 통합 연립내각에서 내무부장으로 취임하다.

1945년 8월 해방을 맞이하여 재중경(在重慶) 동포들과 임정 요인들의 귀국을 위한 업무를 주관하다。

12월 1일 임정 요인 제2진으로 환국하다。

12월 2일 국민대학 창설에 착수하다。

임정 산하에 정치공작대와 행정연구반을 두기로 의결하고 그 조직에 착수하다。

12월 28일 신탁통치반대국민총동원위원회(總動委)의 발족과 함께 9인 지도위원의 한 사람으로 선출되다。

12월 31일 임정 내무부장 이름으로 국자(國字) 제1호와 국자 제2호 포고문을 발표、미군정청에 근무하는 한국인들은 반탁투쟁과 이를 위한 파업에 참여할 것을 시달하다。 직원들은 이에 호응하여 경찰까지 파업에 돌입하다。

1946년 1월 1일 미군정청은 내무부장의 포고령을 쿠데타로 규정하고 해공을 체포하다。

며칠 후 하지 사령관과 김구 주석의 긴급회동에서 정치공작대와 행정연구반을 해체하는 조건으로 해공의 석방에 합의하다。

6월 3일 이승만의 단정론(單政論)을 지지하다。

6월 19일 자유신문사 사장에 취임하다。

9월 1일 국민대학을 개교하고 초대 학장에 취임하다。(후일 개교기념일을 10월 16일로 정하다)

12월 미군정청 자문기관인 남조선 과도 입법의원(立法議院)의 민선의원으로 당선하다。

1947년 1월 20일 개원한 입법의원에서 반탁결의안을 긴급발의、통과시켜 좌우합작을 추진하는 미군정 하지 사령관을 견제하다。

11월 14일 지청천(池青天)、배은희(裵恩希) 등과 대한국민당을 창당、당수에 취임하다。

1948년 2월 23일 입법의원 의장으로 선출되다。

5월 10일 경기도 광주에서 제헌국회의원에 무투표로 당선하다。

5월 31일 제헌국회에서 국회 부의장으로 선출되다。(의장 이승만)

6월 헌법 및 정부조직법 등 건국입법을 주도하다。

7월 17일 대한민국 헌법이 공포되다。

7월 24일 국회의장 이승만이 국회에서 대통령으로 선출되자、그의 후임으로 국회의장에 선출되다。

9월 4일 대한체육회 회장에 취임하다。

1950년 2월 23일 대한국민당과 한국민주당의 합당으로 민주국민당을 결성하다。 지청천、백남훈(白南勳)、김성수(金性洙)와 함께 최고위원으로 선출되고 위원장에 취임하다。

3월 국회 방미(訪美) 사절단장으로 미국을 방문、미 하원에서 삭감된 대한(對韓) 원조액 6천만 달러를 회복시키다。

5월 30일 제2대 총선에서 국회의원으로 당선하다。

6월 19일 국회의장으로 선출되다。

1952년 7월 10일 임시수도 부산에서 제2대 국회 후기 국회의장으로 선출되다。

1953년 5월 18일 국회의장으로서 영국 엘리자베스 여왕 대관식 참석 및 6·25전쟁 참전 16개국을 비롯한 우방국 방문을 위해 출국하다。

1954년 5월 20일 제3대 총선에서 갖은 탄압에도 불구하고 국회의원으로 당선하다。

11월 29일 대통령 중임 제한을 철폐하는 사사오입(四捨五入) 개헌 파동이 일어나자, 해공을 비롯한 야당 의원 60여 명이 호헌동지회를 결성하고 헌정 유린 세력과 맞서 싸울 신당 발기 준비위원회를 구성하기로 합의하다。

1955년 9월 19일 민주당을 창당하다。 대표최고위원으로 선출되다。

1956년 3월 28일 민주당 대통령 후보로 지명되다。

5월 3일 약 30만(경찰 추계 20만) 인파가 쇄도한 한강 백사장 유세를 가지다。

5월 5일 새벽, 호남지방 유세차 이동하던 호남선 열차 안에서 뇌일혈로 급서(急逝)하다。

5월 23일 서울운동장(동대문운동장의 옛 이름)에서 국민장으로 장례식을 치르고, 수유리 산록에 안장되다。

1966년 5월 5일 10주기 기념식을 이효상(李孝祥) 국회의장이 주관하다. 동시에 나용균(羅容均) 의원을 비롯한 국회의원 60여 명이 발기인이 되어 해공신익희선생기념사업회(이하 기념사업회)를 설립하고 초대 회장으로 최두선(崔斗善) 전 국무총리를 선임하다.

1996년 4월 10일 기념사업회를 사단법인으로 하여 국가보훈처에 등록하다.

2018년 11월 기념사업회 제8대 회장으로 현승일(玄勝一) 전 국민대 총장을 선임하다.

2021년 4월 해공의 종손 창현(昌鉉)의 차자(次子)로서 해공 가문의 어른이신 학영(學泳) 선생이 100년 이상 가장(家藏)해 오던 해공의 『일본몽구 1440자』 원본을 기념사업회에 기증하다.

일분몽구(원본)
一分蒙求(原本)

저작권자 (사)해공신익희선생기념사업회
주 소 서울 종로구 자하문로24길 49-7
전 화 02-730-7558
팩 스 02-736-0419
이 메 일 info@haegong.kr
홈페이지 www.haegong.kr

초 판 1쇄 펴낸날 2022년 8월 15일
글 쓴 이 해공 신익희
펴 낸 이 김시연
펴 낸 곳 (주)일조각
등 록 1953년 9월 3일 제300-1953-1호(구 : 제1-298호)
주 소 03176 서울시 종로구 경희궁길 39
전 화 02-734-3545 | 02-733-8811 (편집부)
02-733-5430 | 02-733-5431 (영업부)
팩 스 02-735-9994(편집부) | 02-738-5857(영업부)
이 메 일 ilchokak@hanmail.net
홈페이지 www.ilchokak.co.kr
ISBN 978-89-337-0805-7 04190
ISBN 978-89-337-0804-0 04190 (세트)
값(세트) 25,000원